SOLFÈGE

DES

SOLFÈGES

SINGING EXERCISES

ダンノーゼルのソルフェージュ

SOLFEO DE LOS SOLFEOS

ΜΕΛΩΔΙΚΕΣ ΑΣΚΗΣΕΙΣ

DANHAUSER • LAVIGNAC • LEMOINE

1 B

Editions Henry Lemoine

41, rue Bayen - 75017 Paris

SOLFÈGE DES SOLFÈGES

CLASSIFICATION PROGRESSIVE

1A		FACILE / *EASY*
1B		FACILE / *EASY*
1C		FACILE / *EASY* (mêmes leçons que 1A) *(same lessons than 1A)*
1D		FACILE / *EASY*
1E		FACILE / *EASY* (mêmes leçons que 1D) *(same lessons than 1D)*
2A		MOYEN/*MEDIUM*
2B		MOYEN/*MEDIUM*
2C		MOYEN/*MEDIUM*

3A		MOYEN/*MEDIUM*
3B		MOYEN/*MEDIUM*
3C		FACILE / *EASY*
3D		FACILE / *EASY*
3E		FACILE / *EASY*
3F		MOYEN/*MEDIUM*
3G		MOYEN/*MEDIUM* voix d'hommes/*male voices* (mêmes leçons que 3F) *(same lessons than 3F)*
3H		MOYEN/*MEDIUM* voix de femmes/*female voices* (même leçons que 3F) *(same lessons than 3F)*

4A 7 clés / *7 keys*		DIFFICILE
4B 7 clés / *7 keys*		DIFFICILE
4C		FACILE
4D		FACILE

4E 7 clés / *7 keys*		DIFFICILE
4F 7 clés / *7 keys*		DIFFICILE
5A 7 clés / *7 keys*		DIFFICILE
5B		DIFFICILE (mêmes leçons que 5A) *(same lessons than 5A)*
5C 7 clés / *7 keys*		DIFFICILE

SOLFÈGES A 2, 3 ET 4 VOIX

6A		2 voix égales	FACILE
6B		2 voix égales	FACILE
7A		2 voix égales	MOYEN
7B		2 voix (Soprano et Basse/Baryton)	MOYEN

8A	3 voix (Soprano, Ténor, Basse)	MOYEN
8B	3 voix (Soprano, Ténor, Basse)	MOYEN
9A	4 voix (Soprano Contralto, Ténor, Basse)	MOYEN
9B	4 voix (Soprano Contralto, Ténor, Basse)	MOYEN
10	Avec paroles 1 et 2 voix	MOYEN

Ces volumes existent avec et sans accompagnement de piano
These volumes exist with and without piano.

Table des matières

Table of content

目次

Indice de materias

ΠΕΡΙΕΧΟΜΕΝΑ

C Major Scale — Escala de Do Mayor
Gamme de Do Majeur
ハ長調 — Ντο Μείζων

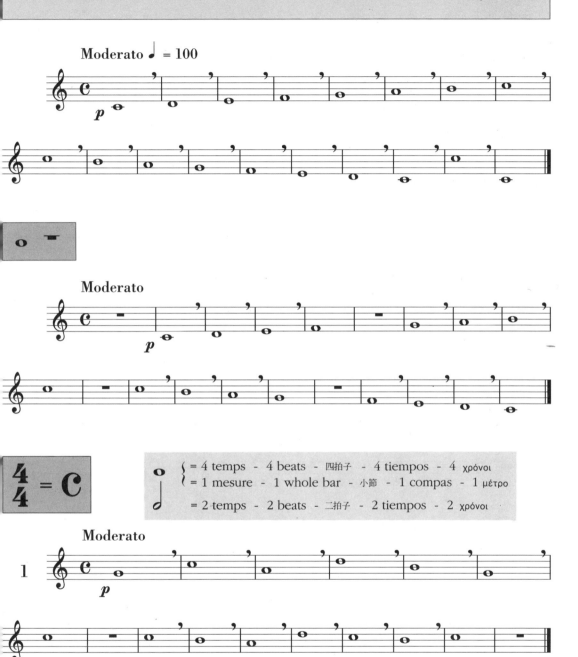

o = Ronde - Whole Note - 全音符 - Redondas - Ολόκληρο

♩ = Blanche - Half Note - 二分音符 - Blanca - Ημιση

♩ + ♩ = o

= Pause - Rest - 全休符 - Pausa - Παύση

= Demi-Pause - Half Note's Rest - 二分休符 - Pausa de Blanca - Παύση ημίσεως

4

$\frac{4}{4}$ ♩ = 𝄽 = 1 temps - 1 beat - 拍 - 1 tiempo - 1 χρόνος

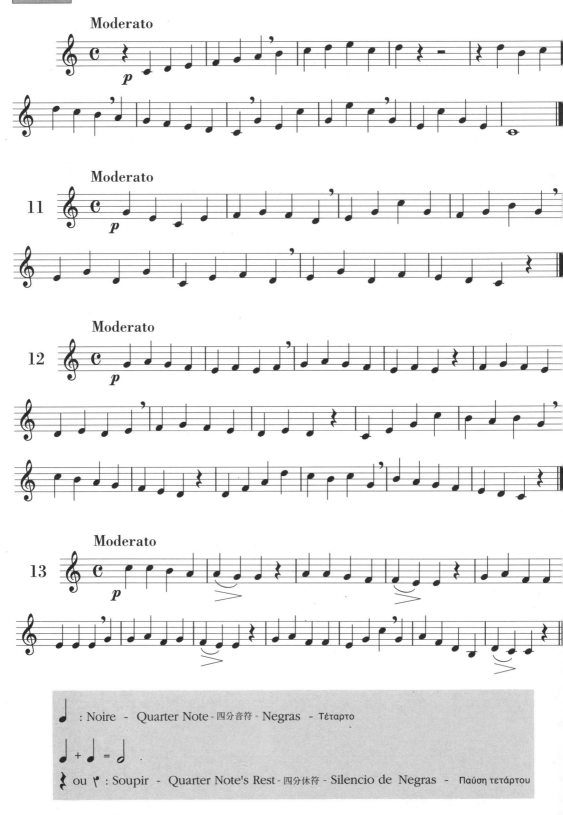

♩ : Noire - Quarter Note - 四分音符 - Negras - Τέταρτο

♩ + ♩ = ♩.

𝄽 ou 𝄼 : Soupir - Quarter Note's Rest - 四分休符 - Silencio de Negras - Παύση τετάρτου

	$\mathbf{\frac{4}{4}}$	$\mathbf{\frac{2}{2}}$	$\mathbf{\frac{3}{4}}$
𝅗𝅥. =	3 temps	1 1/2 temps	3 temps
♩. =	1 1/2 temps	3/4 temps	1 1/2 temps

20

57 Andante ♩ = 58

3/8

♪ = 1 temps - 1 beat -拍- 1 tiempo - 1 χρόνος

♪ + ♪ + ♪ = ♪. = 1 mesure - 1 bar - 小節 - 1 μέτρο

58 Moderato ♪ = 100

cresc.   dimin.

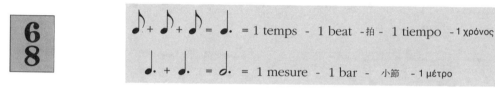

℅ Andante ♩.= 58

61

p   FI

p

℅ Andantino ♪= 104

62

p

poco riten.   **FIN**   *mf*

Allegretto ♩. = 72

64

The triplet

Le triolet

Los tresillos

三連符

Τρίηχο

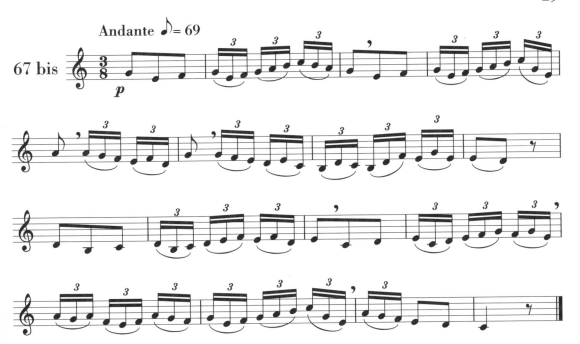

67 bis

The syncopation — La syncope — La sincopia

シンコペーション　Συγκοπή

68

	Dièse	Sharp	Sostenido
		シャープ	Δίεση

b	Bémol	Flat	Bemol
		フラット	Υφεση

La mineur

A minor   La menor

イ短調   Λα ελάσσων

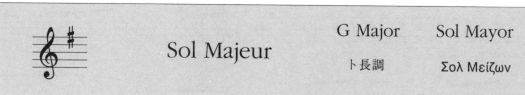

Sol Majeur

G Major   Sol Mayor

ト長調   Σολ Μείζων

Simplement ♩ = 88

93

Andantino ♩ = 96

94

dolce   *cresc.*   *p*   *p*   *cresc.*   *dimin.*   *p*

42

Mouvement de valse ♩ = 138

97

p

p   cre - scen - do   poco a poco   dimin.

1.   2. FIN

f

f

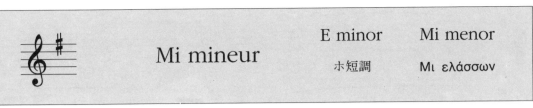

44

Fa Majeur

F Major   Fa Mayor

へ長調   Φα Μείζων

D minor	Re menor
二短調	Ρε ελάσσων

Ré mineur

Andante ♩ = 60

108

Andantino tranquillo ♩. = 66

109

Ré Majeur

D Major   Re Mayor

二長調   Ρε Μείζων

113

114

Si mineur — B minor — Si menor — ロ短調 — Σι ελάσσων

Si♭ Majeur

B♭ Major   Si♭ Mayor

変ロ長調   Σι♭ Μείζων

Sol mineur

G minor   Sol menor

ト 短調   Σολ ελάσσων

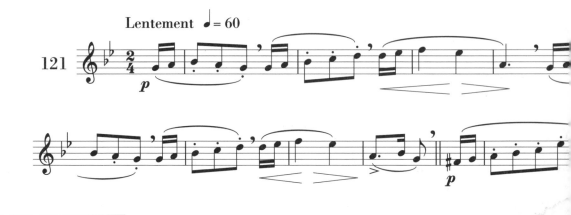

Clé de Fa

F clef   Clave de fa

ファの鍵   Κλειδί του Φα

Supplément

a Tempo

Allegretto con moto ♩ = 92

144

Majeur

Andante ♩= 80

155

cre - scen - do   f

di - mi - nu - en -

a Tempo

- do e rallent.   p

mf

cresc. molto

p   pp

grav. D. Montel
logiciel "Berlioz"

THEORIE

THEORIE

A. DANHAUSER — *Abrégé de la Théorie de la Musique*
Définitions simples et concises. Exemples nombreux.
Présentation aérée. Illustrations en couleurs.

A. DANHAUSER — *Eléments de Théorie Indispensables à la Pratique Instrumentale* pour Adultes

A. DANHAUSER — *Théorie Complète de la Musique*

F. FONTAINE — *Traité Pratique du Rythme Mesuré* Vol.1 et 2 :
Eléments Pratiques du Rythme Mesuré + 2 K7
Traité Pratique du Rythme Mesuré

F. FONTAINE — *Traité de la Théorie*

M. FUSTE-LAMBEZAT — *Principes Elémentaires de Théorie Musicale*

P. GANTER — *Cours de Théorie de la Musique*

S. JOUVE-GANVERT — *Théorie Musicale pour les 4 Premières Années*
Théorie expliquée aux enfants, aux parents et aux élèves adultes

QUESTIONNAIRE

A. DANHAUSER — *Questionnaire, Appendice de la Théorie de la Musique*

A. LEDOUT — *Théorie-Tests* - Volumes 1 à 4

P.WOESTYN — *500 Questions de Théorie*

LECTURE

E. LAMARQUE
et M.J. GOUDARD — *D'une Clé à l'Autre*
Lecture de notes sur des textes du répertoire en clés de Sol, Fa, Ut 3°, Ut 4°

A. LEDOUT — *Lecture en Clés de Sol, Fa et Ut* avec corrigé

AUDITION / INTONATION - HARMONIE

AUDITION / INTONATION

R. CARPENTIER — *Formation de l'Oreille chez les Débutants* - 66 Exercices d'Intonation

G. DANDELOT — *Etude de l'Audition* - Les Notes Naturelles

HARMONIE

G. DANDELOT — *Cahier de Textes pour l'Analyse Harmonique* Vol.1 et 2
— *Résumé du Cours d'Analyse Harmonique*
— *Résumé du Cours de Construction Musicale*

E. LEJET — *Ecriture Musicale*
Livre de l'Elève et Livre du Professeur (Niveau d'entrée dans les classes d'écriture des CNSM)
Recherche de fragments musicaux manquants dans des oeuvres de Bach, Haëndel, Haydn et

PEDAGOGIE MUSICALE

FORMATION MUSICALE

E. LAMARQUE
et M.J. GOUDARD   - *"Je Découvre la Musique"*
         Initiation   Ecriture, Apprentissage des Notes et des Rythmes, Chant et Intonation
                    Les accompagnements des Chansons sont enregistrés (K7 en option)
         "Je Découvre la Clé de Sol et la Clé de Fa"   Apprentissage des 2 Clés en même temps
                    Livre du professeur avec corrigé. Accompagnements des morceaux sur K7.
         Vol.1 (dès 6 ans) **Vol.2** (degré IM2) **Vol.3** (degré IM3)
                    Lecture de Notes, Lecture Rythmique, Lecture Chantée

M. LABROUSSE   - *Cours de Formation Musicale 1ère, 2ème et 3ème année*
         Lecture de Notes et de Rythmes, Dictées, Chant, Exercices pratiques et Théoriques

S. LEMMI   - *Activités Musicales* - Manuel Complet de Formation Musicale

J.J. PETIT   - *La Leçon de Musique* pour les deux premières années
         Lecture, Rythme, Chant, Théorie

C. SEGUIN   - *Apprenons la Musique et son Langage* - Niveau Débutant 1
         Théorie de base : Lecture, Ecriture Mélodique et Rythmique, Chant, Jeux Rythmiques

C. VOIRPY   - *Sélection de Textes Musicaux Cycle 1* Vol.1 et Vol.2

LECTURE

Y. KLEIN   - *A la Découverte de la Lecture*
   ------   - *Sol-Fa*
         De l'Initiation à la Clé de Fa à la Lecture des Clés de Sol et Fa Mélangées

E. LAMARQUE
et M.J. GOUDARD   - *D'une Clé à l'Autre* (Clés de Sol, Fa, Ut 3° et Ut 4°)

A. LEDOUT   - *Lecture en Clés de Sol, Fa et Ut* avec corrigé

RYTHME

F. FONTAINE   - *Traité Pratique du Rythme Mesuré* Vol.1 et 2 :
         Eléments Pratiques du Rythme Mesuré + 2 K7 et Traité Pratique du Rythme Mesuré

F. GERVAIS   - *60 Leçons de Solfège Rythmique*

Y. KLEIN   - *A la Découverte du Rythme*   Eveil, IM1, IM2

Y. KLEIN   - *Du Rythme à la Mélodie*   IM3 et Préparatoire
A. LANGREE   - *Du Rythme à la Mélodie* de Y. Klein   Accompagnements Piano

C. VOIRPY   - *Rythmes*   De l'Initiation aux Classes de Fin d'Etudes

CHANT

Y. KLEIN   - *A la Découverte du Chant*   Eveil, IM1, IM2
A. LANGREE   - *A la Découverte du Chant* de Y. Klein   Accompagnements Piano

J. VILLATTE   - Anthologie du Canon

DICTEES

Y. KLEIN   - *Développement de l'Ecoute par les Dictées Musicales*
         Vol.1 (IM1 à Degré Préparatoire) Vol.2 (Degré Préparatoire et Elémentaire)

E. LAMARQUE
et M.J. GOUDARD   - *A l'Ecoute de la Musique* en deux Volumes :
         Spécial Débutants et Fin du 1er Cycle
         Livre de l'Elève, Livre du Professeur et K7

Groupe Landais - 93160 Noisy-le-Grand
Mai 2001 - N